유아 연산의 기준

칸토의 연산

합이 9까지의 덧셈

"취학 전 우리 아이가
해야 할 수학은?"

아이를 키우는 부모님이라면 하나같이 우리 아이가 수학을 좋아하고 잘했으면 하는 바람일 것입니다. 수학에 대한 안 좋은 기억이 있으신 부모님들이라면 더더욱 걱정과 조바심 속에 초등학교 가기 훨씬 전부터 아이에게 여러 문제집을 풀게 하며 수학에 많은 시간을 사용합니다. 지금까지 아이가 푼 문제집을 쌓아 올리며 부모님 스스로가 뿌듯해 하기도 합니다.

그런데 아이가 수학을 잘하기 위해 초등학교 입학 전에 해야 할 가장 중요한 것은 무엇일까요?

수학에 관심을 갖고 수학에 재미를 느끼는 것입니다.

그러나 현실은 그렇지 않습니다. 아이들은 방대한 양의 반복된 문제를 풀며 가장 중요한 목표인 재미로부터 멀찌감치 떨어져 출발하게 됩니다. 첫 단추가 잘못 끼워지니 그 이후의 단추들도 제대로 끼워지기 어렵습니다. 아이가 처음 숫자를 보고 읽고 수를 셀 때의 희망찬 모습에서 어느덧 수 앞에만 서면 작아지는 아이의 모습으로 부모님의 새로운 걱정은 시작됩니다. 이를 바로잡으려 부모님께서 다시 힘을 내보려 하지만 너무 오래된 수학이 낯설고 멀게만 느껴집니다.

「**칸토의 연산**」은 아이에게는 아이의 시선에 맞게 문제의 형태와 양을 재미있게 구성하여 즐거운 시간이 될 수 있게 하였고, 부모님께는 아이를 가까이서 직접 지도할 수 있는 학습 가이드(칸토 쌤)를 제공하여 최고의 선생님이 될 수 있게 하였습니다.

수학을 잘하기 위해서는 한 문제를 끝까지 풀기 위한 노력과 끈기도 필요합니다. 하지만 수학을 잘하기 위해 지금 부모님께서 해야 할 일은 아이에게 수학에 대한 좋은 첫인상을 심어주는 것입니다. 문제 푸는 것을 어려워한다면 과감히 다음 기회로 넘기고 기다려주세요. 첫 만남이 나쁘지 않았던 우리 아이는 다시금 수학을 찾고 수학과 더 깊은 관계로 발전해 나갈 수 있을 거예요.

"초등 입학 전 연산 딱 4가지만 알고 가요."

취학 전 우리 아이가 반드시 학습해야 할 연산 주제 4가지를 제시합니다.

수 세기(1~50)

[수 세기 방법 4가지]
① 앞으로 세기 1, 2, 3, 4, 5, ……
② 거꾸로 세기 10, 9, 8, 7, ……
③ 이어 세기 5, 6, 7, 8, 9, ……
④ 묶어 세기 2, 4, 6, 8, 10, ……
(뛰어 세기)

수를 세는 과정에는 덧셈과 뺄셈의 원리가 숨어 있어요.
실생활 소재(음식, 물건, 계단)와 수 세기 모형(주사위,
수직선, 계란판)을 이용하여 반복하여 연습해 주세요.
아이의 수·연산 감각을 발달시킬 수 있는 출발점입니다.

수 계열(1~50)

[50까지의 수 배열표]

1 큰 수 →

1	2	3	4	5	6	7	8	9	10
11	12	13	14	15	16	17	18	19	20
21	22	23	24	25	26	27	28	29	30
31	32	33	34	35	36	37	38	39	40
41	42	43	44	45	46	47	48	49	50

10 큰 수 ↓   10 작은 수 ↓

1 작은 수 →

50까지의 수 배열표를 관찰하며 수의 구성과 각 수들 간의
관계를 파악하고 50까지의 수를 익혀요. 수 배열표를 머릿속
으로 그릴 수 있어야 해요.

[모으기]

2   3

□

[가르기]

7

2   □

9까지의 수를 모으고 가르는 활동은 덧셈, 뺄셈
의 기초이며 핵심 원리예요.
손가락뿐만 아니라 생활 속 다양한 구체물을
활용하여 반복적으로 연습해 보세요.

모으기·가르기(1~9)

[동적 상황의 덧셈·뺄셈]

$2 + 3 = \square$ $7 - 2 = \square$

덧셈, 뺄셈은 동적인 상황(첨가, 제거)과 정적인
상황(합병, 비교) 2가지가 있어요. 이것을
잘 이해하면 덧셈·뺄셈 문장제 문제를
해결하는 데 큰 도움이 돼요.

덧셈·뺄셈(0~9)

단계별 구성

유아/3단계

단계	권	주제
5세	1	1부터 5까지의 수
	2	6부터 9까지의 수
	3	1부터 9까지의 수
	4	덧셈과 뺄셈의 기초
6세	1	0부터 10까지의 수
	2	10까지의 수에서 더하기·빼기 1
	3	20까지의 수에서 더하기·빼기 1, 10
	4	20까지의 수에서 더하기·빼기 1, 2, 10
7세	1	합이 9까지의 덧셈
	2	9까지의 뺄셈과 덧셈·뺄셈
	3	50까지의 수에서 더하기·빼기 1, 2, 10
	4	받아올림·내림 없는 (두 자리 수±한 자리 수)

초등/6단계

단계	권	주제
초1	1	덧셈구구
	2	뺄셈구구
	3	편리한 계산 전략
	4	100까지의 수, 받아올림·내림 없는 (두 자리 수±두 자리 수)
초2	1	받아올림·내림 있는 (두 자리 수±한 자리 수)
	2	받아올림·내림 있는 (두 자리 수±두 자리 수)
	3	곱셈의 기초와 곱셈구구(1)
	4	곱셈구구(2)
초3	1	받아올림·내림 있는 (세 자리 수±세 자리 수)
	2	나눗셈구구
	3	(세 자리 수×한 자리 수), (두 자리 수×두 자리 수)
	4	분수와 소수의 기초
초4	1	큰 수
	2	곱셈과 나눗셈
	3	분모가 같은 분수의 덧셈과 뺄셈
	4	소수의 덧셈과 뺄셈
초5	1	자연수의 혼합 계산
	2	약수와 배수, 약분과 통분
	3	분모가 다른 분수의 덧셈과 뺄셈
	4	분수의 곱셈, 소수의 곱셈
초6	1	분수의 나눗셈
	2	소수의 나눗셈
	3	비와 비율
	4	비례식과 비례배분

칸토의 연산 시리즈

(9단계, 총 36권)

- 연산의 원리부터 재미있는 퍼즐형 문제까지 다루는 기본 난이도의 연산 교재
- 나선형 반복 학습과 확장 커리큘럼
- [칸토의 연산] ➡ [응용 연산]으로 이어지는 기본·심화 연산 학습 설계
- 단계별 4권, 9단계 총 36권 구성
- 한 단계 4개월 완성
- 학년별 교과서 진도와 맞춤 병행

이 책의 **칸토 구성**과 **특징:**

- 하루 2쪽, 매주 5일씩 4주 동안 완성하는 연산 프로그램이에요.
- 연령별 아이의 학습 눈높이와 학습 체력에 맞게 쉬운 난이도와 하루 10분 정도의 학습 분량으로 구성하였어요.
- 선생님과 같은 실력으로 아이를 지도할 수 있게 「칸토 쌤」 코너에 알찬 학습 가이드를 수록하였어요.

---

1 학습 안내 · 무엇을 공부할까요?

❶ 붙임 딱지를 붙여 학습 진도를 체크해요.

❷ 이번 주에 꼭 알아야 할 학습 기준을 체크해요.
공부 전에 간단히 살펴보고, 한 주 공부가 끝나면 반드시 확인해 보세요.

2 일일 학습 · 매주 5일씩 4주 동안 공부해요.

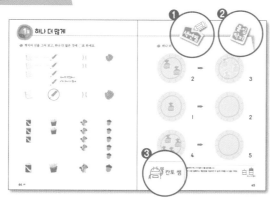

❶ 색연필을 사용하는 활동이에요.

❷ 붙임 딱지를 붙이는 활동이에요.

❸ 연산의 개념, 원리, 활용뿐만 아니라 아이의 학습 심리 상태를 파악할 수 있는 학습 가이드를 꼭 참고하세요.

3 확인 학습 · 이번주 배운 내용을 잘 알고 있나요?

4 마무리 평가 · 4주 동안 배운 내용을 잘 알고 있나요?

이 책의 차례

1주 / **모으기와 가르기** 7

2주 / **합이 9까지의 덧셈** 19

3주 / **□가 있는 덧셈** 31

4주 / **세 수의 덧셈** 43

마무리 평가 55

실력 평가 67

스스로 체크하는 학습 진도표

"일일 학습이 끝나면 붙임 딱지를 붙여 학습 진도를 표시해 보세요."

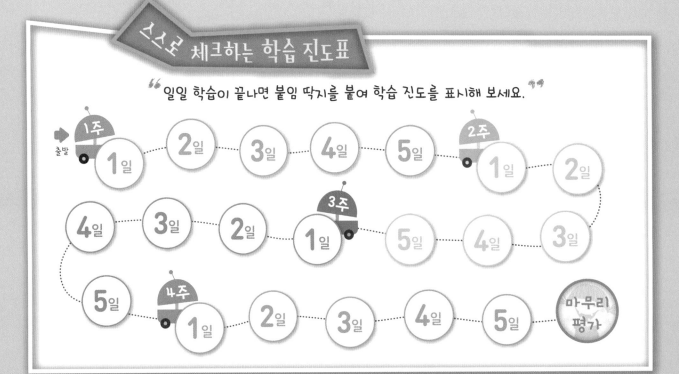

1주 모으기와 가르기

1일 모으기(1) · · · · · · · · · · · 8

2일 모으기(2) · · · · · · · · · · · 10

3일 2묶음으로 나누기 · · · · · · · 12

4일 가르기(1) · · · · · · · · · · · 14

5일 가르기(2) · · · · · · · · · · · 16

확인학습 · · · · · · · · · · · · · · · 18

학습 기준

● 9까지의 수에서 두 수를 모으기 할 수 있나요?　　　　　☐

● 9까지의 수에서 두 수로 가르기 할 수 있나요?　　　　　☐

구슬을 ◯로 그려 두 수를 모으기 하세요.

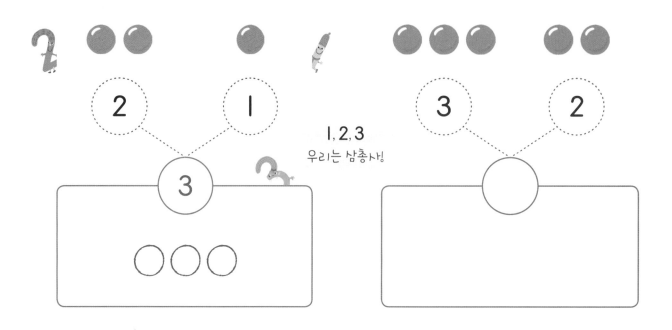

1, 2, 3
우리는 삼총사!

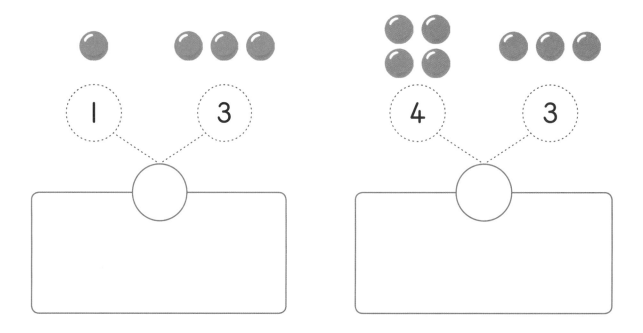

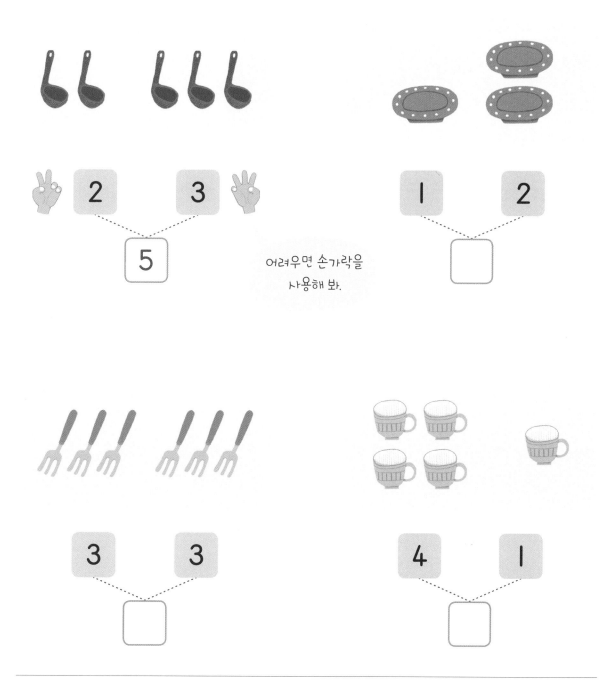

두 수를 모으기 하세요.

5

어려우면 손가락을
사용해 봐.

칸토 쌤 모으기는 흩어져 있는 것을 한 군데로 모으는 활동을 의미해요. 구슬을 ○로 직접 그리거나 구
체물을 세어 두 수를 하나의 수로 모으기 해 봅니다. 수 모으기는 덧셈의 기초 개념이므로 익숙
해질 때까지 반복해서 연습해 주세요.

2   1
3
2 + 1 = 3

주사위 점의 수를 모으기 하세요.

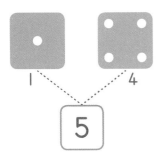

1과 4를 모으기 하면 5야.

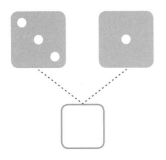

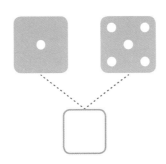

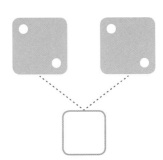

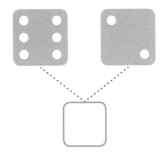

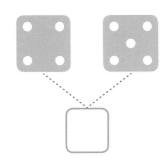

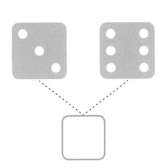

두 수를 모으기 하세요.

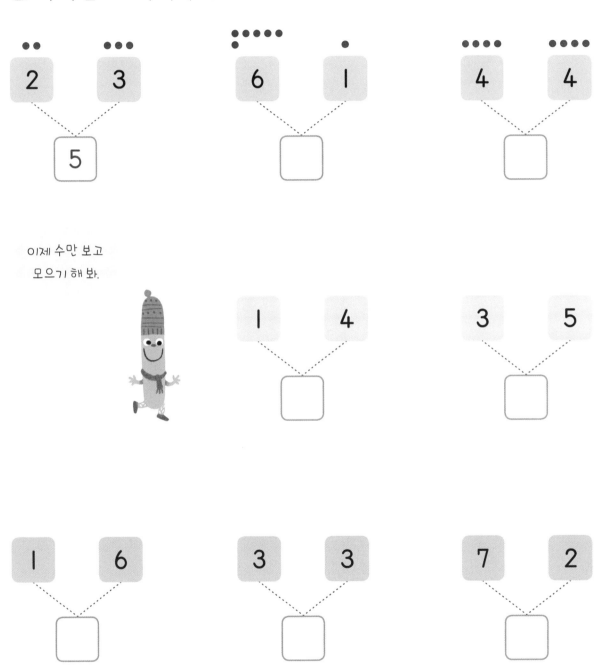

이제 수만 보고
모으기 해 봐.

칸토 쌤   반구체물(주사위)과 수만 보고 모으기 하는 활동이에요. 추상적인 수는 아이가 다루기엔 아직 어려울 수 있어요. 아이와 함께 주사위 2개를 던져 주사위 게임을 해 보세요. 아이 머릿속에서 어느 순간 수 개념이 자라게 될 거예요.

3일 2묶음으로 나누기

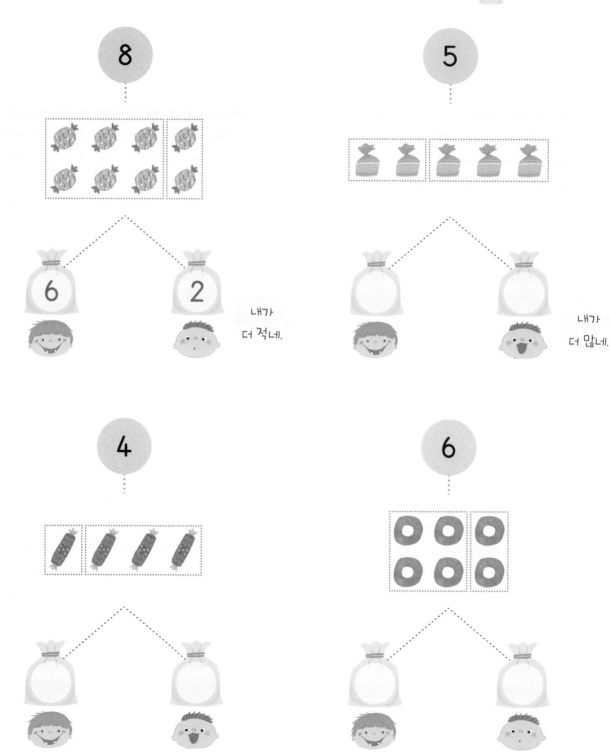

형과 동생이 사탕을 2묶음으로 나누어 가져요. 각각의 개수를 🎒에 쓰세요.

내가 더 적네.

내가 더 많네.

수만큼 과자를 2묶음으로 나누어 보고, 빈 곳에 알맞은 수를 쓰세요.

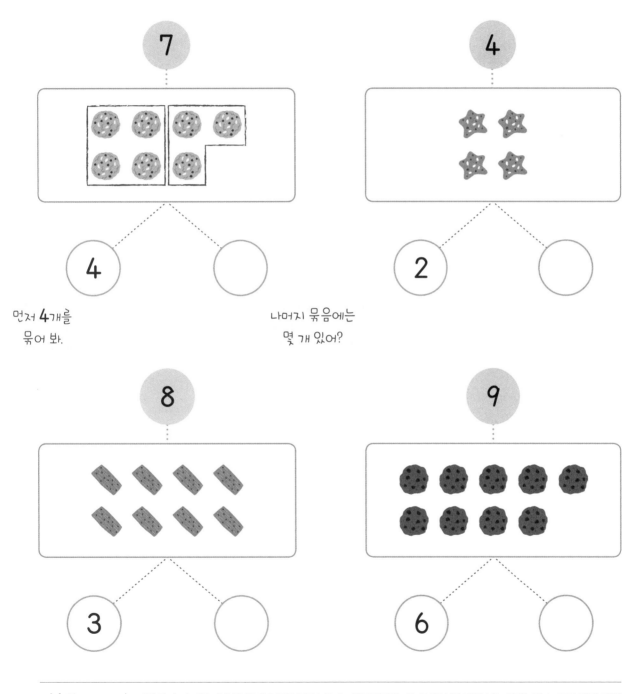

7

4

4

2

먼저 **4**개를
묶어 봐.

나머지 묶음에는
몇 개 있어?

8

3

9

6

칸토 쌤 | 사탕이나 과자를 개수에 맞게 2묶음으로 나누는 활동이에요. 두 묶음이 몇 개씩 나누어지는지 눈으로 직접 관찰
해 보며 **3**일 차에 배우는 가르기 개념을 준비합니다.

4일 가르기(1)

🐛 구슬을 ◯로 그려 가르기 하세요.

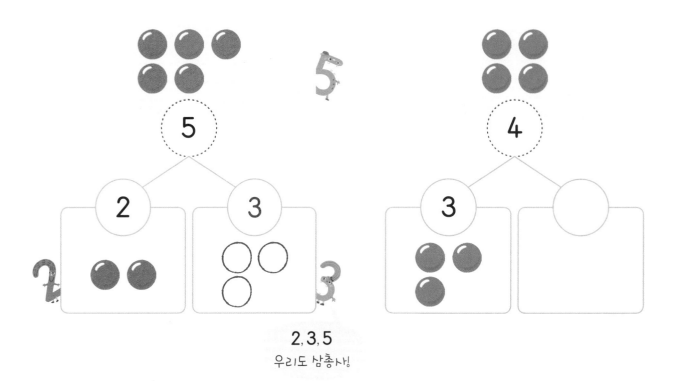

2, 3, 5
우리도 삼총사!

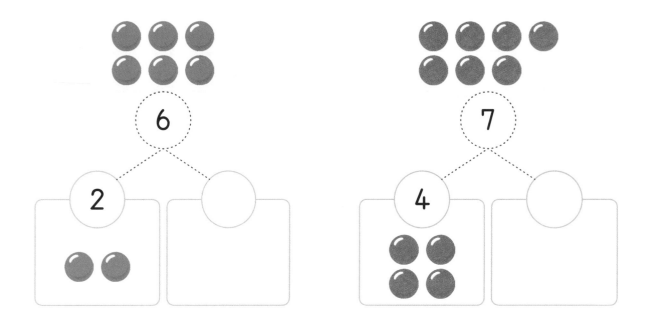

두 수로 가르기 하세요.

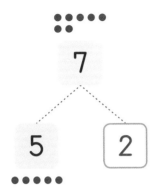

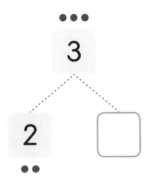

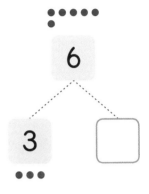

이제 수만 보고
가르기 해 봐.

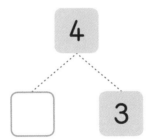

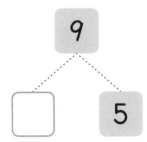

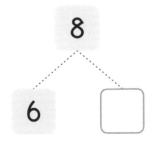

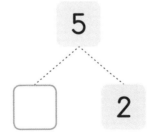

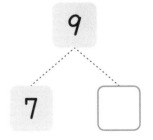

칸토 쌤　구슬을 ○로 직접 그려 가르기를 해 보고, 이어서 수만 보고 가르기 해 봅니다. 수 가르기는 뺄셈의 기초 개념이에요. 아이가 머릿속으로만 가르기 하기에는 아직 어려울 수 있으므로 사탕, 손가락 등을 가지고 연습해 주세요.

5
3 □
5 − 3 = 2

5일 가르기(2)

두 친구가 과자를 여러 가지 방법으로 나누어 먹도록 과자 딱지를 붙이세요.

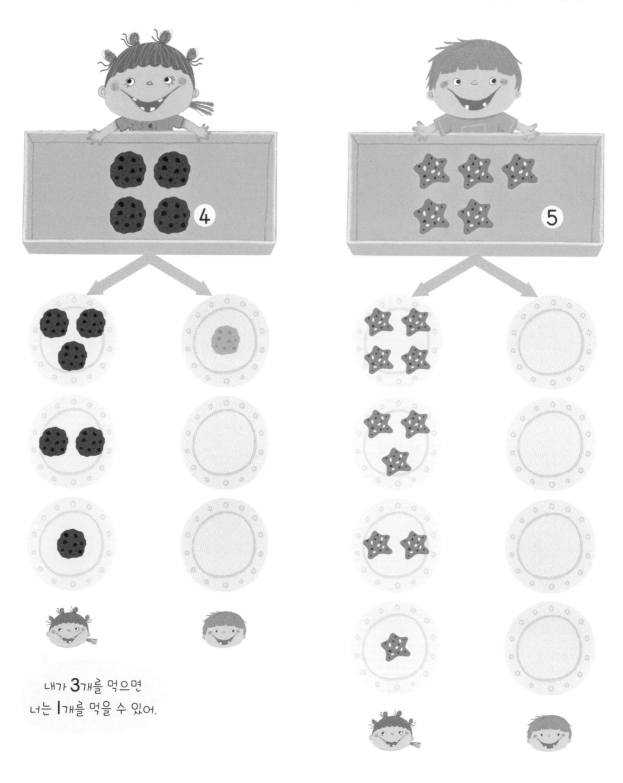

내가 **3**개를 먹으면
너는 **1**개를 먹을 수 있어.

가르기를 하여 ☆ 안에 알맞은 수를 쓰세요.

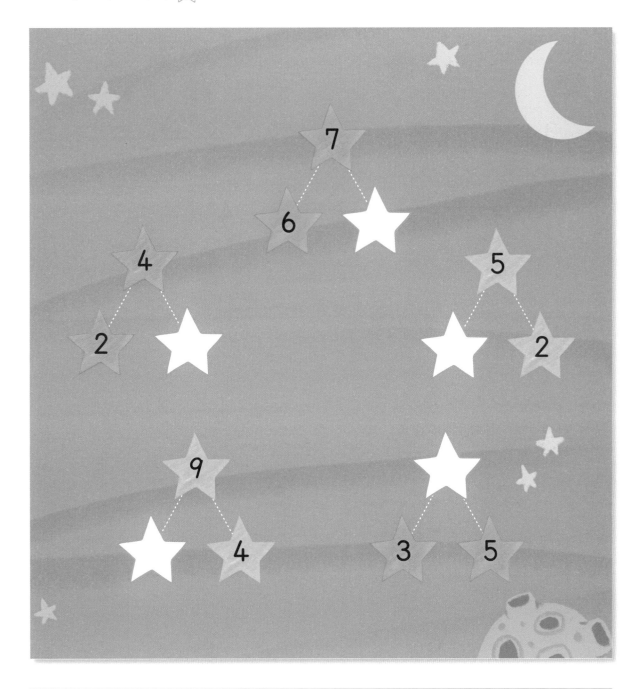

확인학습

◆ ○를 그려 모으기와 가르기 하세요.

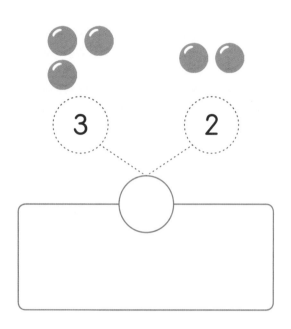

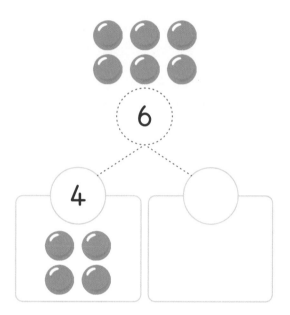

◆ 모으기와 가르기 하세요.

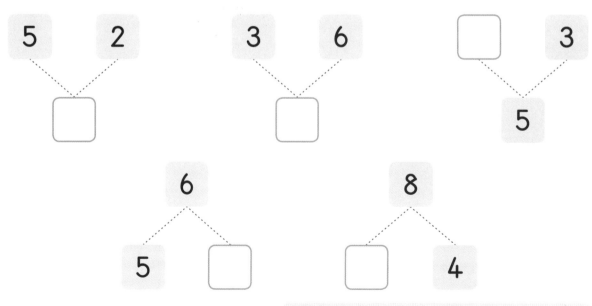

2주 합이 9까지의 덧셈

1일 그림 덧셈(1)   20

2일 그림 덧셈(2)   22

3일 수 막대와 계란판 덧셈   24

4일 바꾸어 더하기   26

5일 합이 9까지의 덧셈 연습   28

확인학습   30

학습 기준

- 그림이 나타내는 덧셈식을 찾을 수 있나요? ☐
- 그림, 수 막대, 계란판을 이용하여 덧셈을 할 수 있나요? ☐
- 두 수의 자리를 바꾸어 더해도 계산 결과가 같음을 알 수 있나요? ☐
- 합이 9까지의 덧셈을 할 수 있나요? ☐

1일 그림 덧셈(1)

그림을 보고 빈칸에 알맞은 수를 쓰세요.

```
  3      2
     5
```

두 쪽 길에 있던
자동차가 한쪽 길로 모여.

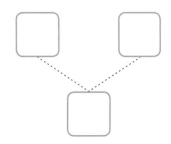

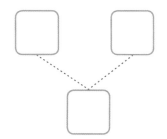

🐛 관계있는 수를 찾아 선으로 이으세요.

3과 2를 모으기

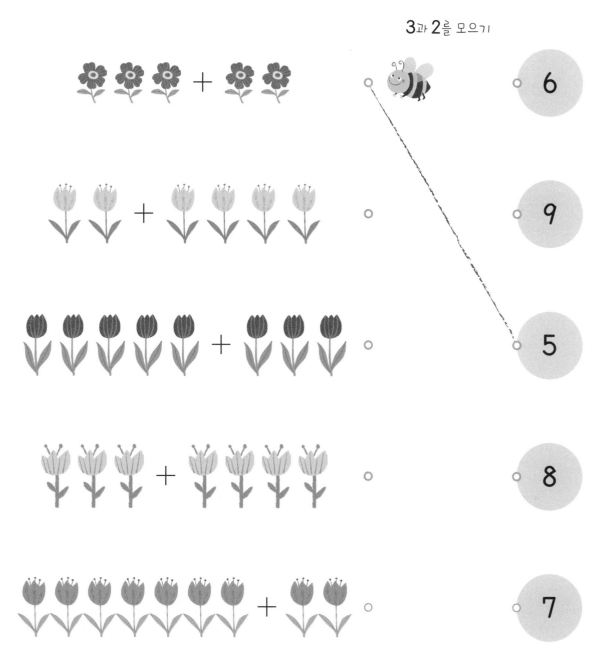

🤖 칸토 쌤   수와 +기호로 이루어진 덧셈식을 학습하기 전에 구체물과 더하기 기호로 덧셈 상황을 이해하는 활동이에요. 앞에서 배운 모으기 개념이 더하기라는 것을 아이가 느낄 수 있게 도와주세요.

2일 그림 덧셈(2)

알맞은 식을 찾아 선으로 이으세요.

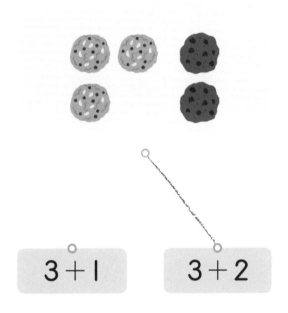

| 3+1 | 3+2 | | 5+1 | 4+3 |

3 더하기 2

| 2+5 | 2+4 | | 3+4 | 4+4 |

덧셈을 하세요.

$$4 + 1 = \boxed{5}$$

$$2 + 3 = \boxed{}$$

4 더하기 1은
5입니다.

$$5 + 3 = \boxed{}$$

$$4 + 5 = \boxed{}$$

칸토 쌤　그림과 관련된 덧셈식을 찾고 그림을 이용하여 덧셈을 하는 활동이에요. 아이가 덧셈식을 보고 소리 내어 읽을 수 있게 도와주세요. 익숙해지면 그림을 보고 덧셈식 쓰기, 엄마가 불러주는 덧셈식 쓰기 활동도 해 보세요.

3 더하기 1은
4입니다.

3일 수 막대와 계란판 덧셈

수 막대의 빈칸에 알맞은 수를 쓰고, 덧셈을 하세요.

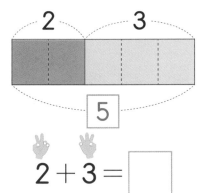

2   3

5

$2 + 3 = \boxed{}$

손가락 덧셈과
비슷해.

2 더하기 3은
5와 같습니다.

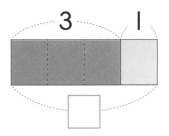

3   1

$3 + 1 = \boxed{}$

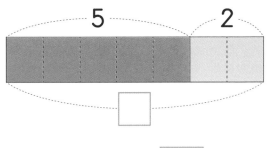

5   2

$5 + 2 = \boxed{}$

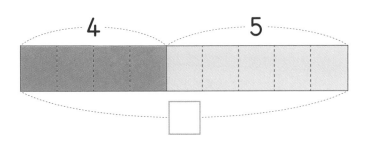

4   5

$4 + 5 = \boxed{}$

 더하는 수만큼 ◯를 색칠하여 덧셈을 하세요.

$3 + 2 =$ ☐

$5 + 1 =$ ☐

알을 어제는 **3**개,
오늘은 **2**개 낳았어.

모두 몇 개
낳았지?

$4 + 4 =$ ☐

$7 + 2 =$ ☐

칸토 쌤 수 막대와 계란판을 이용하여 덧셈을 하는 활동이에요. 아직 어린 아이들에게는 추상적인 수가 어렵게 느껴져요. 아이가 눈으로 직접 보고 덧셈을 할 수 있게 수 막대, 계란판, 손가락 등을 사용할 수 있게 도와주세요.

🐛 그림의 빈칸에 알맞은 수를 쓰고, 덧셈을 하세요.

이번에는 막대의 자리를
바꾸어 더해 볼래?

4	3

7

3	4

$4 + 3 = \boxed{7}$

$3 + 4 = \boxed{}$

두 수의 자리를 바꾸어도
덧셈 값이 같아.

6	2

2	6

$6 + 2 = \boxed{}$

$2 + 6 = \boxed{}$

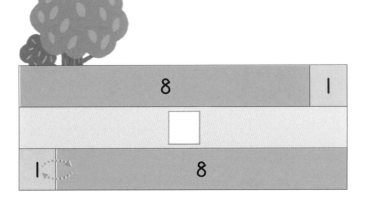

8	1

1	8

$8 + 1 = \boxed{}$

$1 + 8 = \boxed{}$

🐟 큰 수와 작은 수의 자리를 바꾸어 덧셈을 하세요.

$1 + 4 = \boxed{5}$

$4 + 1 = \boxed{5}$

큰 수를 앞에 놓으면
덧셈이 더 쉬워.

$2 + 5 = \boxed{}$

$5 + 2 = \boxed{}$

$1 + 7 = \boxed{}$

$7 + 1 = \boxed{}$

$3 + 6 = \boxed{}$

$6 + 3 = \boxed{}$

$2 + 7 = \boxed{}$

$7 + 2 = \boxed{}$

🤖 칸토 쌤 　아이들은 더하기를 할 때 이어 세기를 주로 사용하기 때문에 (작은 수) ＋(큰 수)보다는 (큰 수)＋(작은 수)를 더 쉽게 한답니다. 이때 사용하는 것이 바꾸어 더하기(덧셈의 교환법칙)예요.

$1 + 4$ ➡ 1 2 3 4 5

$4 + 1$ ➡ 1 2 3 4 5

5일 합이 9까지의 덧셈 연습

덧셈을 하여 미로를 빠져나가세요.

덧셈을 하세요.

$1 + 1 = \boxed{}$　　　　　　$6 + 2 = \boxed{}$

$3 + 6 = \boxed{}$　　　　　　$1 + 4 = \boxed{}$

$4 + 2 = \boxed{}$　　　　　　$2 + 3 = \boxed{}$

$6 + 1 = \boxed{}$　　　　　　$4 + 5 = \boxed{}$

$$\begin{array}{r} 3 \\ +\ 1 \\ \hline \boxed{} \end{array} \qquad \begin{array}{r} 4 \\ +\ 4 \\ \hline \boxed{} \end{array} \qquad \begin{array}{r} 5 \\ +\ 3 \\ \hline \boxed{} \end{array}$$

→ 19쪽으로 돌아가 2주 차 학습 기준을 달성했는지 체크해 보세요.

확인학습

 그림을 보고 덧셈을 하세요.

$$5 + 1 = \boxed{}$$

$$3 + 6 = \boxed{}$$

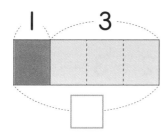

1   3

$\boxed{}$

$$1 + 3 = \boxed{}$$

4   2

$\boxed{}$

$$4 + 2 = \boxed{}$$

 덧셈을 하세요.

$$5 + 3 = \boxed{}$$

$$2 + 3 = \boxed{}$$

$$7 + 2 = \boxed{}$$

$$1 + 6 = \boxed{}$$

→ 19쪽으로 돌아가 2주 차 학습 기준을 달성했는지 체크해 보세요.

3주 □가 있는 덧셈

1일 □가 있는 그림 덧셈 •••••• 32

2일 저울 덧셈 •••••••• 34

3일 □가 있는 덧셈 ••••••• 36

4일 □가 있는 덧셈 연습 •••• 38

5일 두 수의 합 만들기 ••••• 40

확인학습 •••••••••• 42

학습 기준

- 덧셈을 이용하여 컵 안에 있는 과자의 개수를 구할 수 있나요? ☐

- 덧셈을 이용하여 양팔저울의 빈 곳에 알맞은 수를 구할 수 있나요? ☐

- □가 있는 덧셈식에서 □를 구할 수 있나요? ☐

- 주어진 합이 되는 두 수를 찾을 수 있나요? ☐

□가 있는 그림 덧셈

🐛 컵 안에 과자가 몇 개 있었을까요? 컵 위에 과자 딱지를 붙여 구하세요.

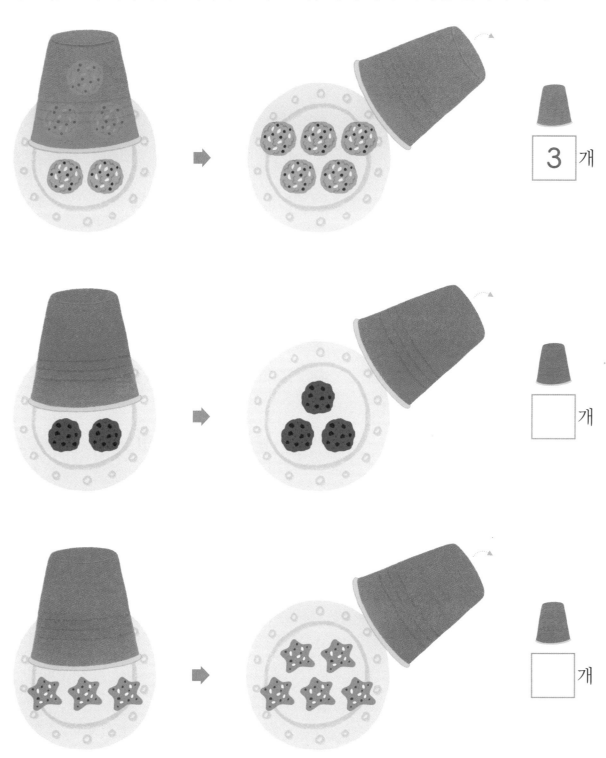

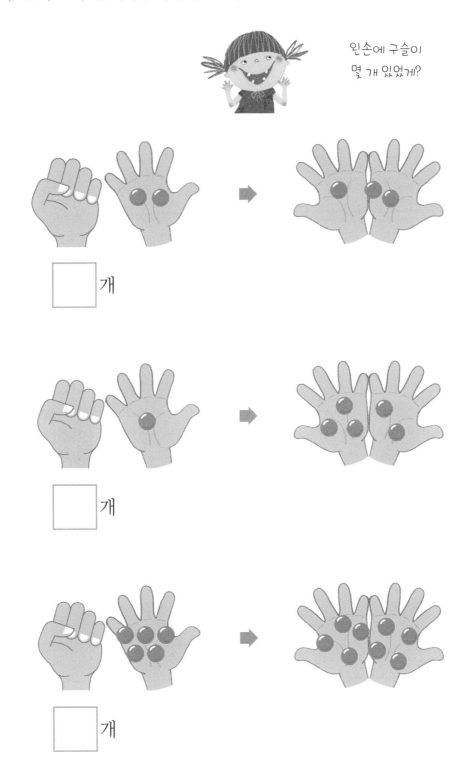

주먹 안에는 구슬이 몇 개 있었을까요?

왼손에 구슬이
몇 개 있었게?

◻ 개

◻ 개

◻ 개

저울 덧셈

양팔저울이 평형이 되도록 빈 접시에 추 딱지를 하나씩 붙이세요.

양팔저울은
무거운 쪽이 내려가.

평형이 되려면 양쪽
무게가 같아야 해.

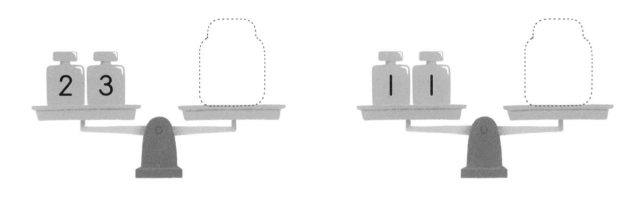

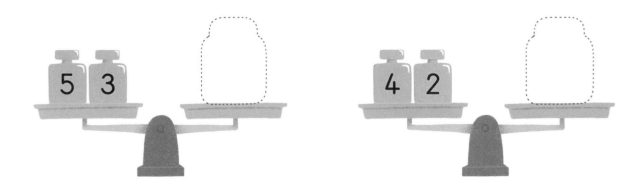

양팔저울이 평형이 되도록 빈 곳에 알맞은 추를 찾아 색칠하세요.

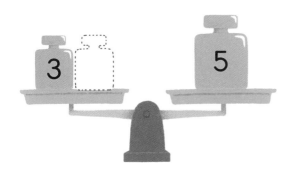

칸토 쌤 양팔저울은 등식의 개념을 이해하는 데 필요한 대표적인 교구입니다. 3일차에 학습하는 □가 있는 덧셈에서 □를 구하기 위한 준비 과정이에요. 아이가 시소를 탄 경험을 이용하여 양팔저울의 원리를 이해할 수 있게 도와주세요.

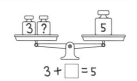

□가 있는 덧셈

○를 그려 □ 안에 알맞은 수를 구하세요.

어제는 알을 **3**개 낳았어.

오늘 알을 세어 보니 **5**개네! 오늘 몇 개 낳았지?

$$3 + \boxed{2} = 5$$

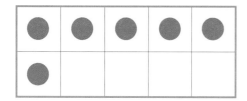

$$6 + \boxed{} = 7$$

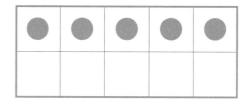

$$5 + \boxed{} = 8$$

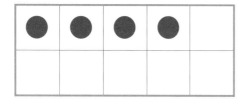

$$4 + \boxed{} = 9$$

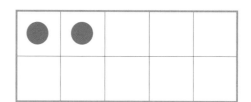

$$2 + \boxed{} = 6$$

🐚 빈칸에 알맞은 수를 쓰세요.

$$2 + \boxed{3} = 5$$

$$\boxed{} + 2 = 3$$

바꾸어 더하기를
이용해 봐.

$$4 + \boxed{} = 6$$

$$\boxed{} + 1 = 8$$

$$3 + \boxed{} = 7$$

$$\boxed{} + 5 = 9$$

$$\begin{array}{r} 4 \\ + \boxed{} \\ \hline 8 \end{array}$$

$$\begin{array}{r} \boxed{} \\ + 1 \\ \hline 7 \end{array}$$

$$\begin{array}{r} 2 \\ + \boxed{} \\ \hline 4 \end{array}$$

🤖 칸토 쌤 │ □가 있는 덧셈에서 □를 구하는 활동이에요. 계란판 모형에서 ○를 그려 □를 구해 보고, 이어서 수식에서 □를 구합니다. 이때 가르기 모으기를 이용하도록 하고, 어려워하면 손가락을 사용해도 좋습니다.

$$4 + \boxed{} = 6$$
$$\boxed{4} \quad \boxed{}$$
$$\boxed{6}$$

□가 있는 덧셈 연습

빈 곳에 알맞은 수를 쓰세요.

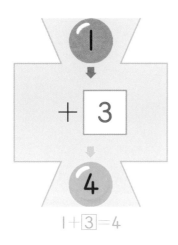

1+3=4

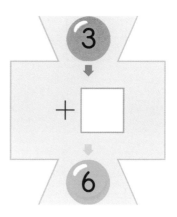

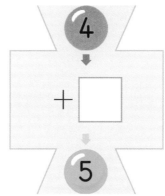

어떤 수를 넣었는지
맞혀 봐.

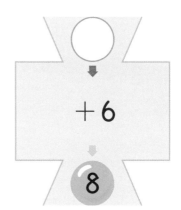

덧셈에 알맞은 길을 그리세요.

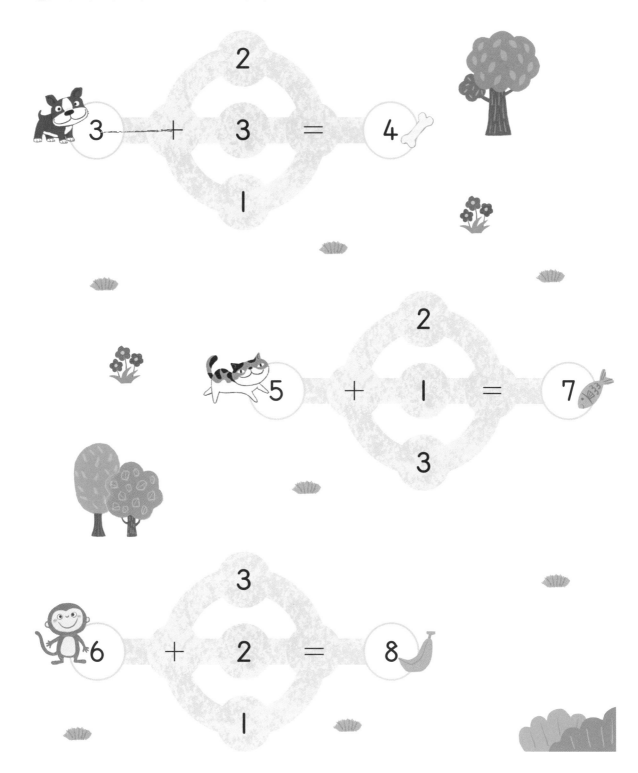

3 + 2 / 3 / 1 = 4

5 + 2 / 1 / 3 = 7

6 + 3 / 2 / 1 = 8

합이 ▶ 안의 수가 되는 두 수를 찾아 모두 선으로 이으세요.

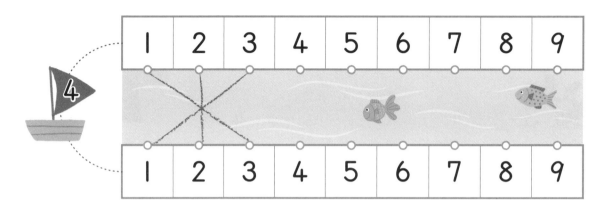

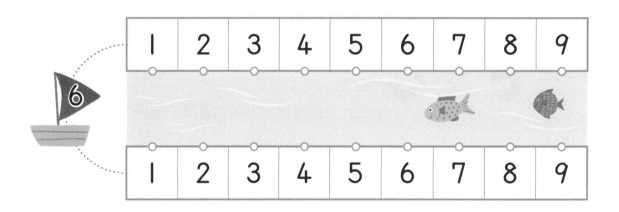

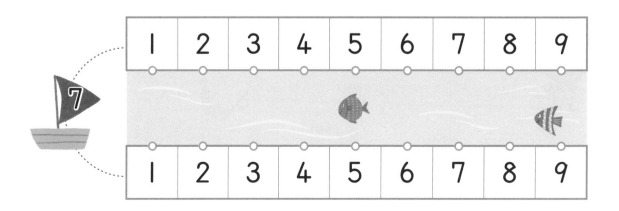

합이 ◯ 안의 수가 되는 수 카드 2장에 ◯표 하세요.

6

3 1 ②

④ 1

7

5 4 1

7 3

4+4=8
4는 아니야.

8

4 1 2

3 5

9

3 7 5

2 1

칸토 쌤 합이 되는 두 수를 찾는 문제예요. 등호(=) 오른쪽의 수를 구하는 것에 익숙한 아이에게는 어려운 문제이고, 합이라는 말도 낯설어요. 가르기 모으기를 이용하여 두 수를 찾을 수 있게 도와주세요.

☐ + ☐ = 4
1   3
2   2
3   1
(4 가르기)

양팔저울이 평형이 되도록 빈칸에 알맞은 수를 쓰세요.

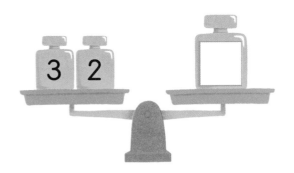

○를 그려 ☐ 안에 알맞은 수를 구하세요.

$6 + \boxed{} = 8$

$4 + \boxed{} = 7$

빈칸에 알맞은 수를 쓰세요.

$2 + \boxed{} = 4$

$\boxed{} + 3 = 8$

→ 31쪽으로 돌아가 3주 차 학습 기준을 달성했는지 체크해 보세요.

4주 세 수의 덧셈

1일 이중 모으기 · · · · · · · · · 44

2일 세 수의 덧셈 · · · · · · · · · 46

3일 사다리 타기 · · · · · · · · · 48

4일 □가 있는 세 수의 덧셈 · · · 50

5일 세 수의 합 만들기 · · · · · · 52

확인학습 · · · · · · · · · · · · · · · 54

학습 기준

- 모으기를 2번 할 수 있나요? ☐

- 세 수의 덧셈을 할 수 있나요? ☐

- □가 있는 세 수의 덧셈식에서 □를 구할 수 있나요? ☐

- 주어진 합이 되는 세 수를 찾을 수 있나요? ☐

여러 번 모으기를 하여 빈칸에 알맞은 수를 쓰세요.

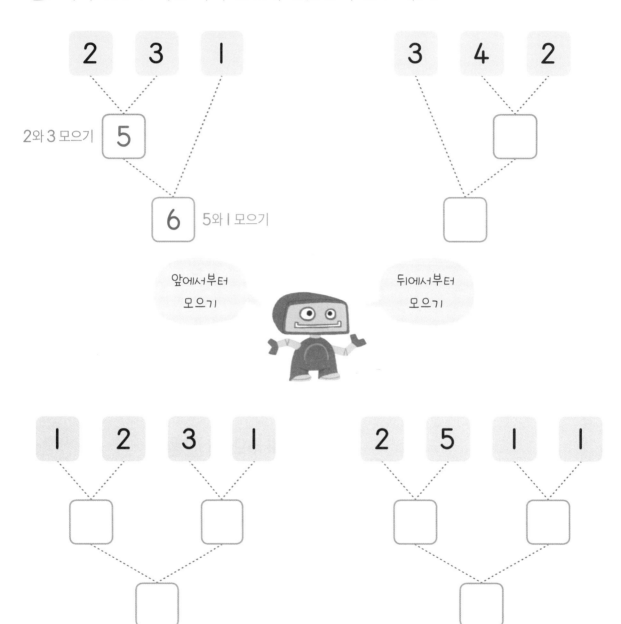

2 3 1

2와 3 모으기 5

6 5와 1 모으기

3 4 2

앞에서부터
모으기

뒤에서부터
모으기

1 2 3 1

2 5 1 1

여러 번 모으기를 했어요. 빈칸에 알맞은 수를 쓰세요.

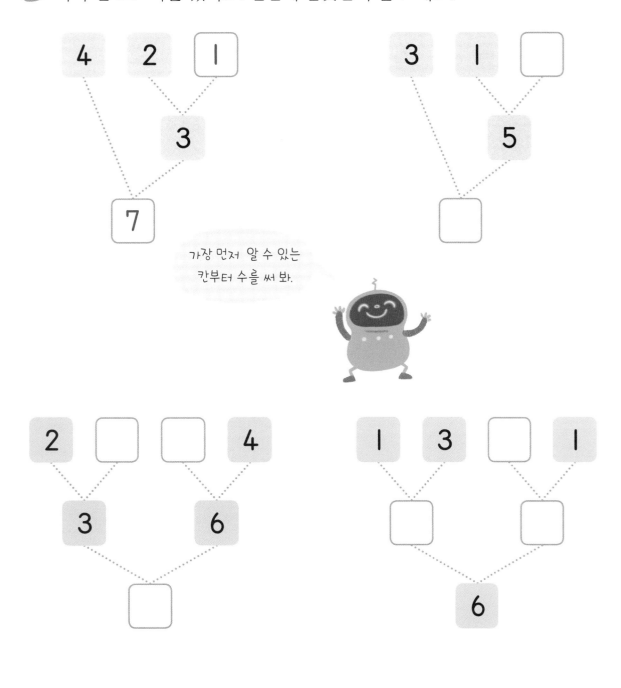

가장 먼저 알 수 있는 칸부터 수를 써 봐.

칸토 쌤 이중 모으기는 수를 여러 번 모으기 하는 활동으로 2일 차에 배우는 세 수의 덧셈을 학습하기 위한 준비 과정이에요. 그림이 복잡해 보이지만 빈칸 중 어떤 칸부터 채워야 하는지 생각해 보며 퍼즐처럼 재미있게 풀도록 도와주세요.

45

세 수의 덧셈

🐛 모으기를 이용하여 세 수의 덧셈을 하세요.

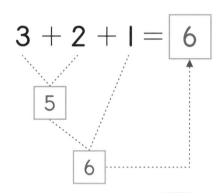

$3 + 2 + 1 = \boxed{6}$

5

6

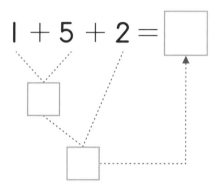

$1 + 5 + 2 = \boxed{}$

조개를 앞에서부터 주워 볼까?

3　2　1

$2 + 3 + 4 = \boxed{}$

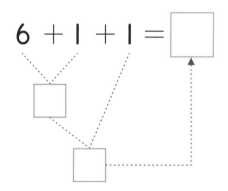

$6 + 1 + 1 = \boxed{}$

🐡 세 수의 덧셈을 하세요.

$2+1+1=\boxed{}$ $2+3+2=\boxed{}$

$1+6+2=\boxed{}$ $3+3+3=\boxed{}$

$1+4+1=\boxed{}$ $2+5+1=\boxed{}$

$$\begin{array}{r} 2 \\ 2 \\ +\ 2 \\ \hline \boxed{} \end{array} \qquad \begin{array}{r} 1 \\ 3 \\ +\ 1 \\ \hline \boxed{} \end{array} \qquad \begin{array}{r} 4 \\ 1 \\ +\ 3 \\ \hline \boxed{} \end{array}$$

🐛 구슬이 사다리를 타고 내려가요. 갈림길을 만나면 길을 바꾸어 내려가요.
덧셈을 하여 빈 곳에 알맞은 수를 쓰세요.

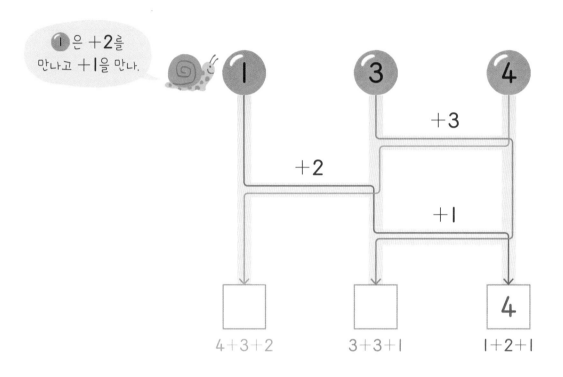

① 은 +2를
만나고 +1을 만나.

4+3+2   3+3+1   1+2+1

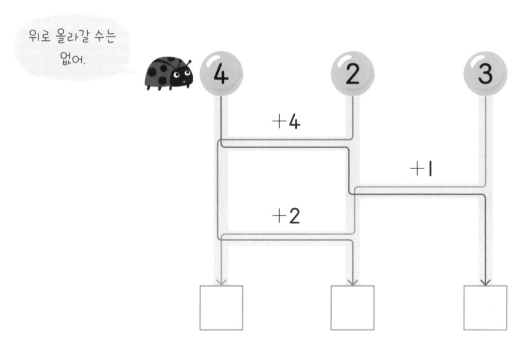

위로 올라갈 수는
없어.

사다리 타기를 하여 덧셈을 하세요.

1은 제일 먼저
+1을 만나.

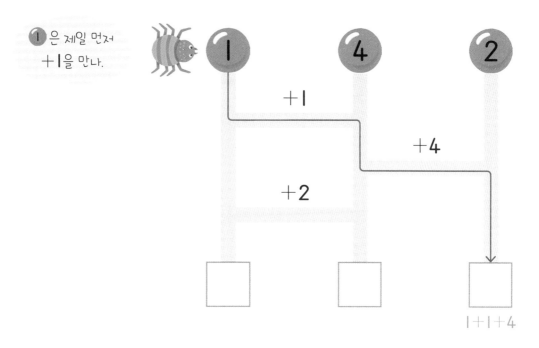

1+1+4

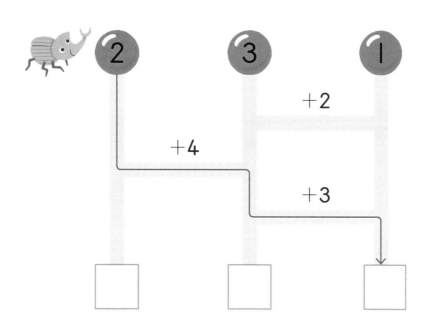

칸토 쌤 | 사다리 타기로 세 수의 덧셈을 연습하는 활동이에요. 사다리 타기를 처음 해 보는 아이들은 많이 어려워한답니다. 아이와 같이 연필을 잡고 노래를 부르며 사다리 타기를 해 보세요.

거미가 사다리를
타고 내려옵니다~ ♪

□가 있는 세 수의 덧셈

 연필의 빈 부분을 색칠하여 □ 안에 알맞은 수를 구하세요.

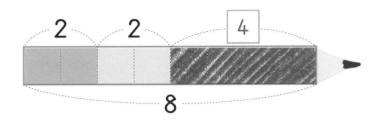

$$2 + 2 + \boxed{} = 8$$

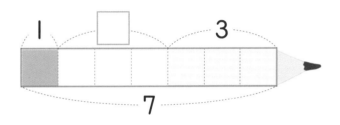

$$1 + \boxed{} + 3 = 7$$

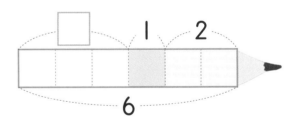

$$\boxed{} + 1 + 2 = 6$$

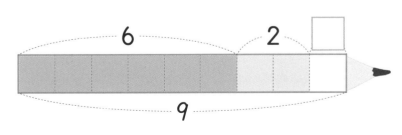

$$6 + 2 + \boxed{} = 9$$

빈칸에 알맞은 수를 쓰세요.

$2 + 1 + \boxed{2} = 5$

$3 + \boxed{} + 2 = 6$

바꾸어 더하기를
이용해 봐.

$1 + 3 + \boxed{} = 7$

$\boxed{} + 3 + 3 = 9$

$1 + \boxed{} + 1 = 6$

$2 + 1 + \boxed{} = 5$

$$\begin{array}{r} 3 \\ 2 \\ + \boxed{} \\ \hline 9 \end{array} \qquad \begin{array}{r} 2 \\ \boxed{} \\ + 2 \\ \hline 6 \end{array} \qquad \begin{array}{r} \boxed{} \\ 4 \\ + 1 \\ \hline 7 \end{array}$$

칸토 쌤   □가 하나 있는 세 수의 덧셈을 공부해요. 먼저 수 막대를 이용하여 □를 구해 본
후, 수식에서 □를 구합니다. □가 제일 앞에 있거나 중간에 있는 경우 바꾸어 더하
기를 이용할 수 있도록 도와주세요.

$3 + \boxed{} + 2 = 7$
$\downarrow$
$3 + 2 + \boxed{} = 7$
(바꾸어 더하기)

5일 세 수의 합 만들기

🐟 덧셈에 맞게 길을 그리세요.

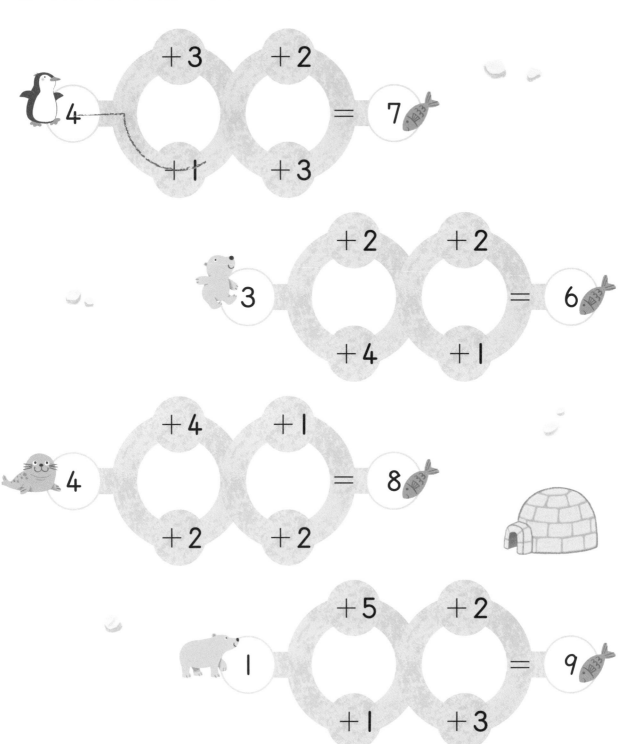

한 줄에 놓인 세 수의 합이 두더지가 말하는 수가 되도록 묶으세요.

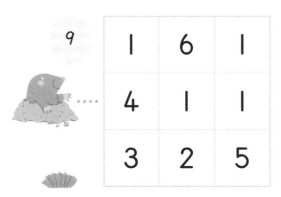

6

1	2	2
2	3	1
2	3	4

8

2	1	4
2	3	2
2	1	2

9

1	6	1
4	1	1
3	2	5

7

3	4	1
1	3	5
4	1	2

칸토 쌤

□가 2개 또는 3개 있는 세 수의 덧셈을 공부해요. 아이가 세 수 가르기를 할 수 있을 정도면 수 감각이 뛰어난 아이입니다. 구체물로 모으기와 가르기의 조작 활동을 충분히 하여 숙달할 수 있게 도와주세요.

6
1 2 3

모으기를 이용하여 세 수의 덧셈을 하세요.

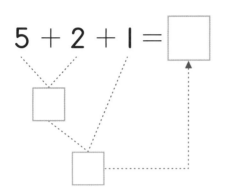

$5 + 2 + 1 = \boxed{}$

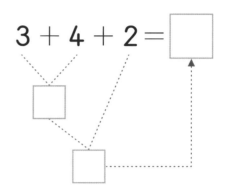

$3 + 4 + 2 = \boxed{}$

빈칸에 알맞은 수를 쓰세요.

$3 + 1 + \boxed{} = 6$

$4 + \boxed{} + 1 = 8$

$2 + 2 + \boxed{} = 9$

$\boxed{} + 4 + 2 = 7$

덧셈에 맞게 길을 그리세요.

2
+2
+1
+4
+5
= 7

→ 43쪽으로 돌아가 4주 차 학습 기준을 달성했는지 체크해 보세요.

마무리 평가

마무리 평가에서는 1, 2, 3, 4주 차의 유형이 순서대로 나옵니다.
문제가 틀리면 몇 주 차인지 확인하여 반드시 다시 한번 복습합니다.

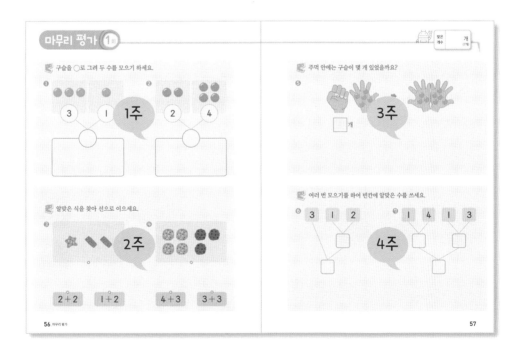

구슬을 ◯로 그려 두 수를 모으기 하세요.

❶
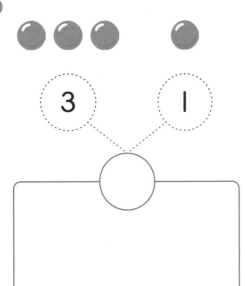

❷
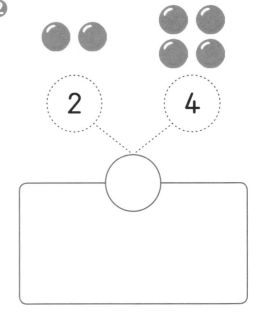

알맞은 식을 찾아 선으로 이으세요.

❸

❹

2+2   1+2   4+3   3+3

주먹 안에는 구슬이 몇 개 있었을까요?

❺

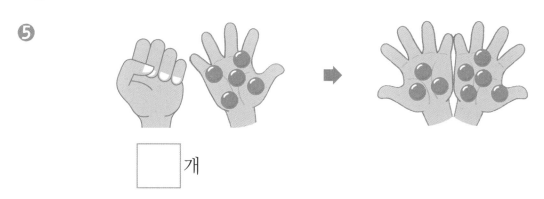

◻️ 개

여러 번 모으기를 하여 빈칸에 알맞은 수를 쓰세요.

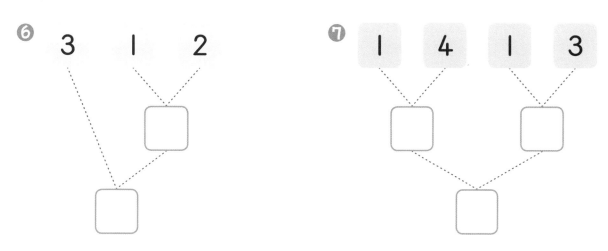

두 수를 모으기 하세요.

❶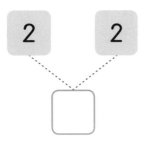

❷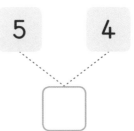

덧셈을 하세요.

❸

$4 + 1 = \boxed{}$

❹

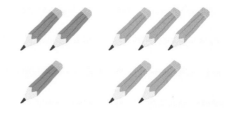

$3 + 5 = \boxed{}$

양팔저울이 평형이 되도록 빈 곳에 알맞은 추를 찾아 색칠하세요.

❺

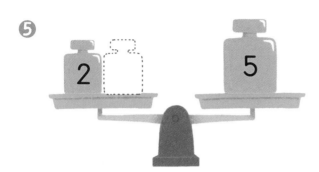

❻

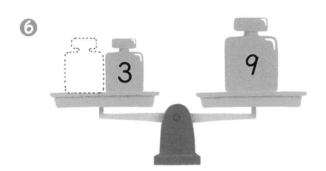

세 수의 덧셈을 하세요.

❼ $3 + 2 + 1 = \boxed{}$

❽ $2 + 5 + 2 = \boxed{}$

❾
$$
\begin{array}{r}
2 \\
4 \\
+\ 1 \\
\hline
\boxed{}
\end{array}
$$

59

구슬을 ◯로 그려 가르기 하세요.

❶
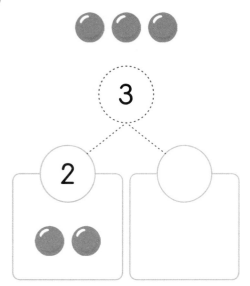

❷
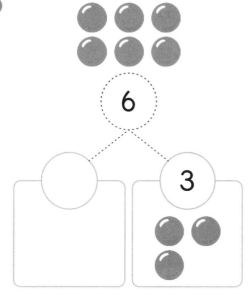

더하는 수만큼 ◯를 색칠하여 덧셈을 하세요.

❸

$$4 + 1 = \boxed{}$$

❹

$$5 + 4 = \boxed{}$$

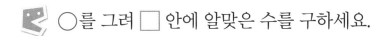

○를 그려 ☐ 안에 알맞은 수를 구하세요.

❺

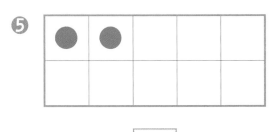

$$2 + \boxed{} = 5$$

❻

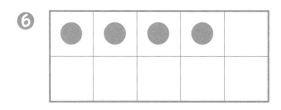

$$4 + \boxed{} = 8$$

사다리 타기를 하여 덧셈을 하세요.

❼

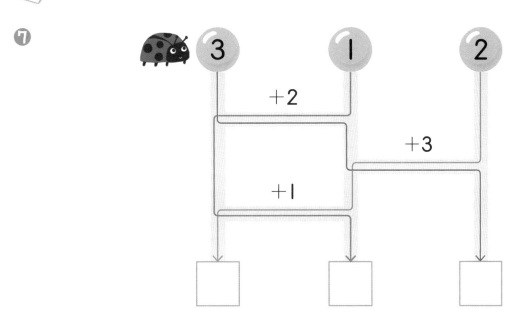

두 수로 가르기 하세요.

①
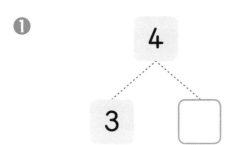

②
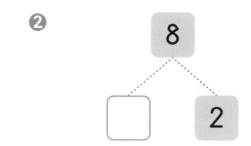

큰 수의 자리를 바꾸어 덧셈을 하세요.

③

$2 + 4 = \boxed{}$

$4 + 2 = \boxed{}$

④
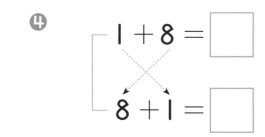

$1 + 8 = \boxed{}$

$8 + 1 = \boxed{}$

📋 빈 곳에 알맞은 수를 쓰세요.

⑤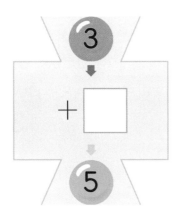

⑥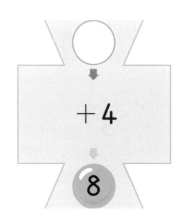

📋 빈칸에 알맞은 수를 쓰세요.

⑦ $1 + 3 + \boxed{} = 6$

⑧ $4 + \boxed{} + 1 = 9$

⑨
$$\begin{array}{r} 3 \\ 2 \\ + \boxed{} \\ \hline 8 \end{array}$$

가르기를 하여 빈칸에 알맞은 수를 쓰세요.

❶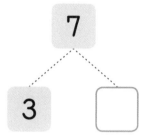

❷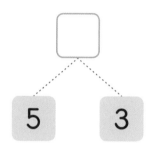

덧셈을 하세요.

❸ $4 + 2 = \boxed{}$

❹ $5 + 4 = \boxed{}$

❺
$$\begin{array}{r} 2 \\ +\ 5 \\ \hline \boxed{} \end{array}$$

합이 ⬭ 안의 수가 되는 수 카드 **2**장에 ○표 하세요.

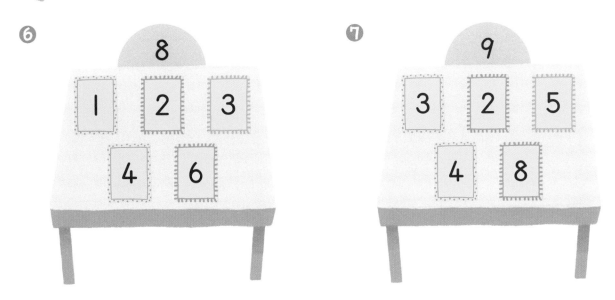

❻ **8**

| 1 | 2 | 3 |
| 4 | 6 | |

❼ **9**

| 3 | 2 | 5 |
| 4 | 8 | |

한 줄에 놓인 세 수의 합이 두더지가 말하는 수가 되도록 묶으세요.

❽ 5

4	1	2
1	2	1
2	2	3

❾ 9

7	1	2
2	4	2
2	3	4

실력 평가 ➡ 67쪽

MEMO

실력 평가

7세 1권

시간	3분	문제 수	20개
배점	1문제 5점 / 총 100점		

날짜: ___ 월 ___ 일

이름: _____

점수: _____ 점

사고가 자라는 수학
씨투엠

❶ $3+2=$

❷ $5+3=$

❸ $9+0=$

❹ $6+1=$

❺ $4+4=$

❻ $2+5=$

❼ $6+3=$

❽ $1+1=$

❾ $7+2=$

❿ $3+3=$

⑪ $2+4=$

⑫ $0+2=$

⑬ $4+5=$

⑭ $1+3=$

⑮ $4+2=$

⑯ $3+4=$

⑰ $5+1=$

⑱ $2+2=$

⑲ $1+6=$

⑳ $5+4=$

유아 연산의 기준

칸토의 연산

정답

합이 9까지의 덧셈

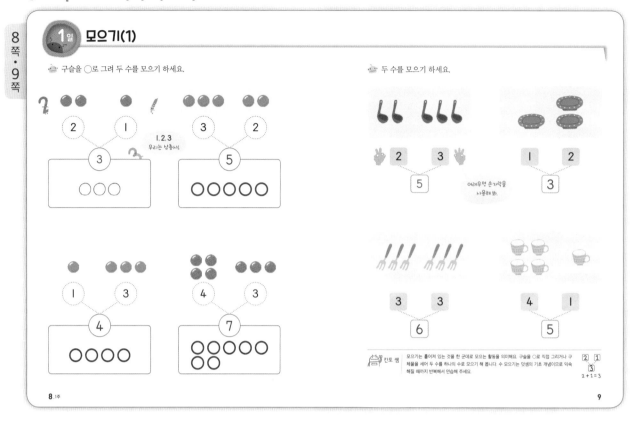

1일 모으기(1)

🐢 구슬을 ○로 그려 두 수를 모으기 하세요.

🐢 두 수를 모으기 하세요.

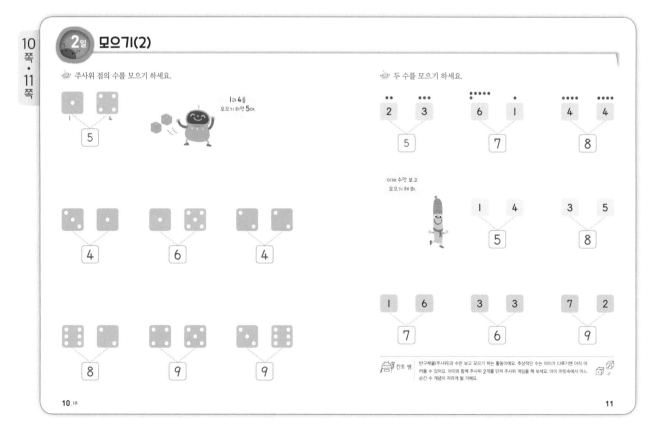

2일 모으기(2)

🐢 주사위 점의 수를 모으기 하세요.

🐢 두 수를 모으기 하세요.

3일 2묶음으로 나누기

형과 동생이 사탕을 2묶음으로 나누어 가져요. 각각의 개수를 에 쓰세요.

수만큼 과자를 2묶음으로 나누어 보고, 빈 곳에 알맞은 수를 쓰세요.

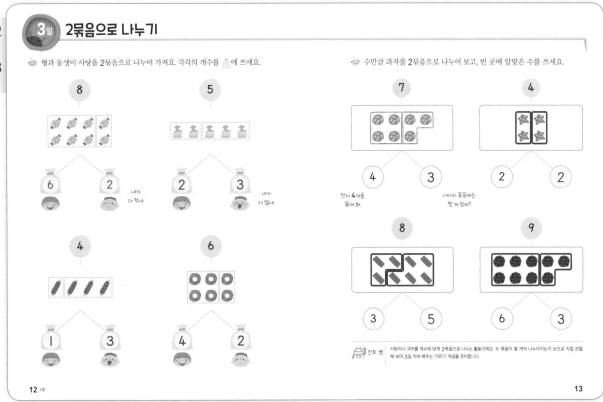

4일 가르기(1)

구슬을 ○로 그려 가르기 하세요.

두 수로 가르기 하세요.

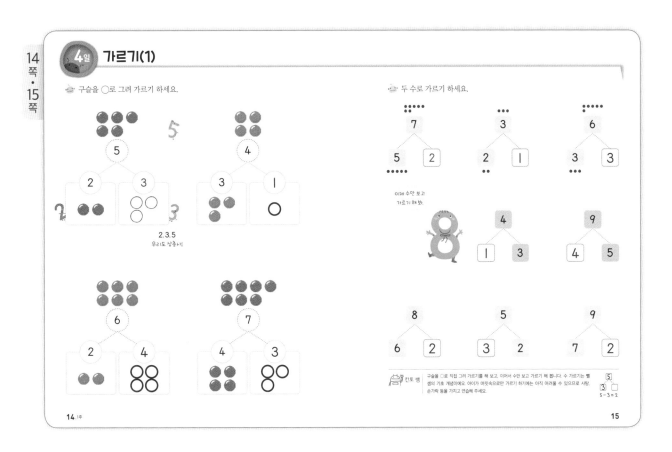

5일 가르기(2)

두 친구가 과자를 여러 가지 방법으로 나누어 먹도록 과자 딱지를 붙이세요.

가르기를 하여 ☆ 안에 알맞은 수를 쓰세요.

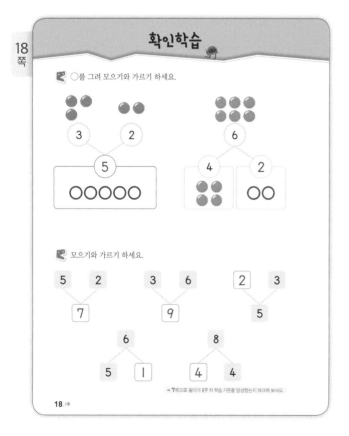

내가 **3**개를 먹으면
너는 **1**개를 먹을 수 있어.

칸토 쌤 하나의 수도 여러 가지 방법으로 가르기 할 수 있음을 경험해 보는 활동이에요. 아이가 구슬과 같은 구체물을 가지고 다양한 방법으로 가르기 해 보며 수 사이의 관계를 파악할 수 있도록 지도해 주세요.

16.1주

17

확인학습

○를 그려 모으기와 가르기 하세요.

3　2
5
○○○○○

6
4　2
○○
○○　　○○

모으기와 가르기 하세요.

5　2　　3　6　　2　3
7　　　9　　　5

6　　　8
5　1　　4　4

➡ **7**쪽으로 돌아가 **1**주 차 학습 기준을 달성했는지 체크해 보세요.

18.1주

1주

4

2주: 합이 9까지의 덧셈

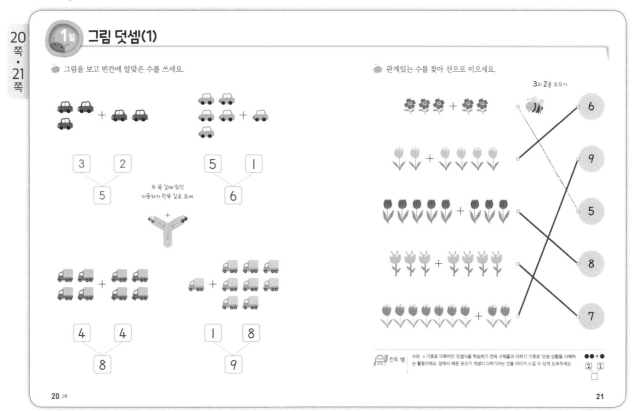

1일 그림 덧셈(1)

🐞 그림을 보고 빈칸에 알맞은 수를 쓰세요.

3   2
5

5   1
6

두 쪽 길에 있던
자동차가 한쪽 길로 모여.

4   4
8

1   8
9

🐞 관계있는 수를 찾아 선으로 이으세요.

3과 2를 모으기

6

9

5

8

7

🏠 칸토 쌤 수와 +기호로 이루어진 덧셈식을 학습하기 전에 구체물과 더하기 기호로 덧셈 상황을 이해하는 활동이에요. 앞에서 배운 모으기 개념이 더하기라는 것을 아이가 느낄 수 있게 도와주세요. ●●＋●
②＋①

20 2주

21

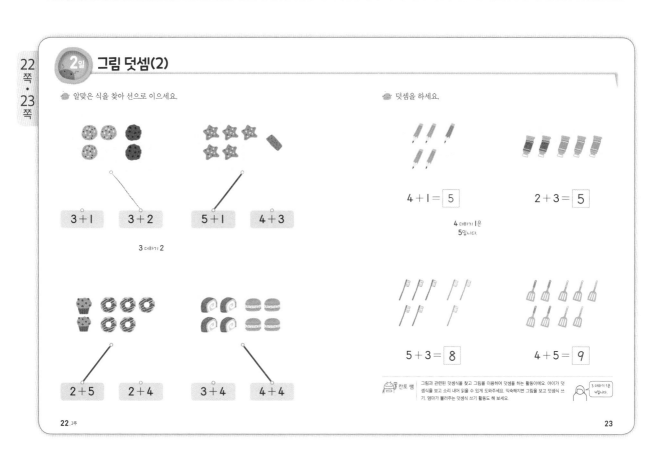

2일 그림 덧셈(2)

🐞 알맞은 식을 찾아 선으로 이으세요.

3＋1   3＋2   5＋1   4＋3

3 더하기 2

2＋5   2＋4   3＋4   4＋4

🐞 덧셈을 하세요.

4＋1＝ 5

4 더하기 1은
5입니다.

2＋3＝ 5

5＋3＝ 8

4＋5＝ 9

🏠 칸토 쌤 그림과 관련된 덧셈식을 찾고 그림을 이용하여 덧셈을 하는 활동이에요. 아이가 덧셈식을 보고 소리 내어 읽을 수 있게 도와주세요. 익숙해지면 그림을 보고 덧셈식 쓰기, 엄마가 불러주는 덧셈식 쓰기 활동도 해 보세요.

5 더하기 3은
8입니다.

22 2주

23

5

정답

3일 수 막대와 계란판 덧셈

수 막대의 빈칸에 알맞은 수를 쓰고, 덧셈을 하세요.

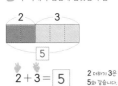

손가락 덧셈과
비슷해.

$2 + 3 = \boxed{5}$

2 더하기 3은
5와 같습니다.

$3 + 1 = \boxed{4}$

$5 + 2 = \boxed{7}$

$4 + 5 = \boxed{9}$

더하는 수만큼 ◯를 색칠하여 덧셈을 하세요.

$3 + 2 = \boxed{5}$ $5 + 1 = \boxed{6}$

알을 어제는 3개,
오늘은 2개 낳았어.

모두 몇 개
낳았지?

$4 + 4 = \boxed{8}$ $7 + 2 = \boxed{9}$

🧑‍🏫 칸토 쌤 수 막대와 계란판을 이용하여 덧셈을 하는 활동이에요. 아직 어린 아이들에게는 추상적
인 수가 어렵게 느껴져요. 아이가 눈으로 직접 보고 덧셈을 할 수 있게 수 막대, 계란판,
손가락 등을 사용할 수 있게 도와주세요.

$5 + 2 = 7$

4일 바꾸어 더하기

그림의 빈칸에 알맞은 수를 쓰고, 덧셈을 하세요.

이번에는 막대의 자리를
바꾸어 더해 볼래?

$4 + 3 = \boxed{7}$

$3 + 4 = \boxed{7}$

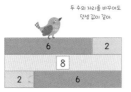

두 수의 자리를 바꾸어도
덧셈 값이 같아.

$6 + 2 = \boxed{8}$

$2 + 6 = \boxed{8}$

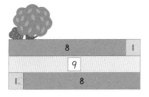

$8 + 1 = \boxed{9}$

$1 + 8 = \boxed{9}$

큰 수와 작은 수의 자리를 바꾸어 덧셈을 하세요.

$1 + 4 = \boxed{5}$
$4 + 1 = \boxed{5}$

큰 수를 앞에 놓으면
덧셈이 더 쉬워.

$2 + 5 = \boxed{7}$ $1 + 7 = \boxed{8}$
$5 + 2 = \boxed{7}$ $7 + 1 = \boxed{8}$

$3 + 6 = \boxed{9}$ $2 + 7 = \boxed{9}$
$6 + 3 = \boxed{9}$ $7 + 2 = \boxed{9}$

🧑‍🏫 칸토 쌤 아이들은 더하기를 할 때 이어 세기를 주로 사용하기 때문에 (작은 수)
+ (큰 수)보다는 (큰 수) + (작은 수)를 더 쉽게 한답니다. 이때 사용하
는 것이 바꾸어 더하기(덧셈의 교환법칙)에요.

$1 + 4 - 1\ 2\ 3\ 4\ 5$

$4 + 1 - 1\ 2\ 3\ 4\ 5$

5일 합이 9까지의 덧셈 연습

🐰 덧셈을 하여 미로를 빠져나가세요.

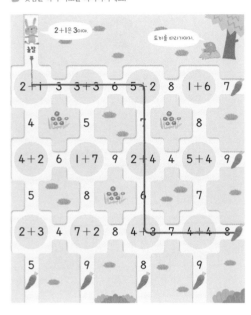

🐛 덧셈을 하세요.

$1 + 1 = \boxed{2}$　　　　$6 + 2 = \boxed{8}$

$3 + 6 = \boxed{9}$　　　　$1 + 4 = \boxed{5}$

$4 + 2 = \boxed{6}$　　　　$2 + 3 = \boxed{5}$

$6 + 1 = \boxed{7}$　　　　$4 + 5 = \boxed{9}$

$$\begin{array}{r} 3 \\ +\ 1 \\ \hline \boxed{4} \end{array} \qquad \begin{array}{r} 4 \\ +\ 4 \\ \hline \boxed{8} \end{array} \qquad \begin{array}{r} 5 \\ +\ 3 \\ \hline \boxed{8} \end{array}$$

확인학습

🐛 그림을 보고 덧셈을 하세요.

$5 + 1 = \boxed{6}$　　　$3 + 6 = \boxed{9}$

　　　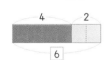

$1 + 3 = \boxed{4}$　　　$4 + 2 = \boxed{6}$

🦖 덧셈을 하세요.

$5 + 3 = \boxed{8}$　　　$2 + 3 = \boxed{5}$

$7 + 2 = \boxed{9}$　　　$1 + 6 = \boxed{7}$

➡ 19쪽으로 돌아가 2주 차 학습 기준을 달성했는지 체크해 보세요

2주

7

정답

3주: □가 있는 덧셈

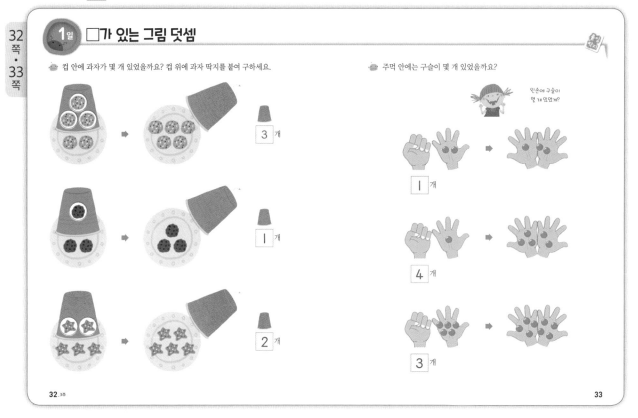

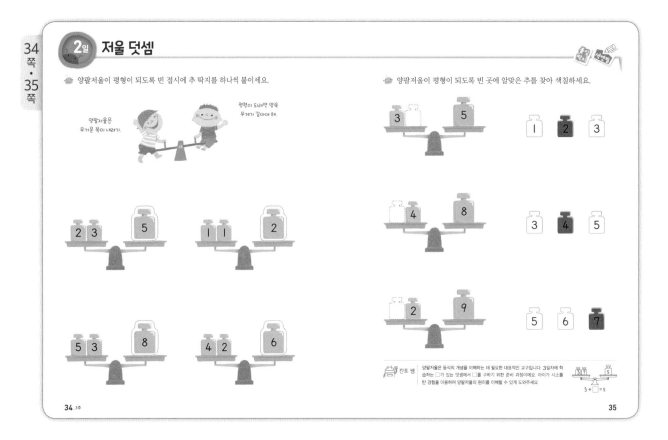

3일 □가 있는 덧셈

○를 그려 □ 안에 알맞은 수를 구하세요.

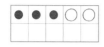

$3 + \boxed{2} = 5$

어제는 알을
3개 낳았어.

오늘 알을
세어 보니 5개네.
오늘 몇 개 낳았지?

$6 + \boxed{1} = 7$

$5 + \boxed{3} = 8$

$4 + \boxed{5} = 9$

$2 + \boxed{4} = 6$

빈칸에 알맞은 수를 쓰세요.

$2 + \boxed{3} = 5$

$\boxed{1} + 2 = 3$

바꾸어 더하기를
이용해 봐.

$4 + \boxed{2} = 6$

$\boxed{7} + 1 = 8$

$3 + \boxed{4} = 7$

$\boxed{4} + 5 = 9$

$\begin{array}{r} 4 \\ + \boxed{4} \\ \hline 8 \end{array}$
$\begin{array}{r} \boxed{6} \\ + 1 \\ \hline 7 \end{array}$
$\begin{array}{r} 2 \\ + \boxed{2} \\ \hline 4 \end{array}$

칸토 쌤 □가 있는 덧셈에서 □를 구하는 활동이에요. 계산판 모형에서 ○를 그려 □를 구해 보고, 이어서 수식에서 □를 구합니다. 이때 가르기 모으기를 이용하도록 하고, 어려워하면 손가락을 사용해도 좋습니다.

$4 + \boxed{} = 6$
$\boxed{4}\ \boxed{}$
$\boxed{6}$

4일 □가 있는 덧셈 연습

빈 곳에 알맞은 수를 쓰세요.

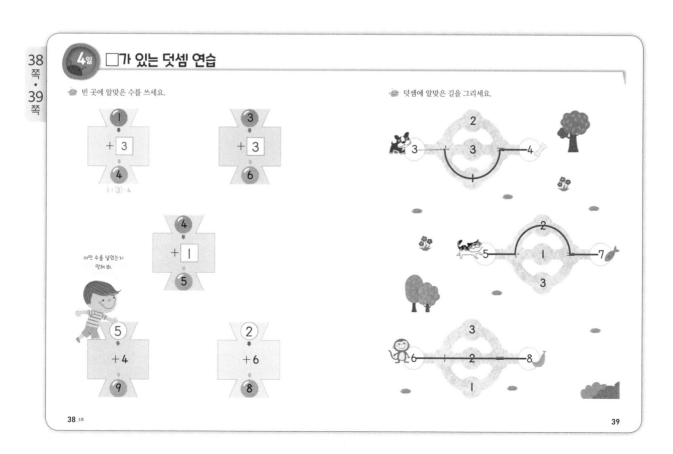

덧셈에 알맞은 길을 그리세요.

1
+ 3
4
1+3=4

3
+ 3
6

어떤 수를 넣었는지
말해 봐.

4
+ 1
5

5
+ 4
9

2
+ 6
8

3 — 2 — 3 — 4

5 — 2 — 1 — 7
3

6 — 2 — 8
1

5일 두 수의 합 만들기

합이 ▶ 안의 수가 되는 두 수를 찾아 모두 선으로 이으세요.

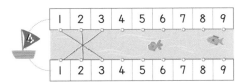

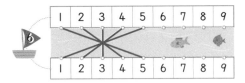

합이 🟦 안의 수가 되는 수 카드 2장에 ○표 하세요.

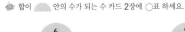

4+4=8
4는 아니야.

칸토 쌤 합이 되는 두 수를 찾는 문제예요. 등호(=) 오른쪽의 수를 구하는 것에 익숙한 아이 에게는 어려운 문제이고, 합이라는 말도 낯설어요. 가르기 모으기를 이용하여 두 수를 찾을 수 있게 도와주세요.

□ + □ = 4
1   3
2   2
3   1
4 가르기

확인학습

양팔저울이 평형이 되도록 빈칸에 알맞은 수를 쓰세요.

3 2   5   5 4   9

○를 그려 □ 안에 알맞은 수를 구하세요.

6 + 2 = 8   4 + 3 = 7

빈칸에 알맞은 수를 쓰세요.

2 + 2 = 4   5 + 3 = 8

↪ 31쪽으로 돌아가 3주 차 학습 기준을 달성했는지 체크해 보세요.

3주

4주: 세 수의 덧셈

1일 이중 모으기

🔷 여러 번 모으기를 하여 빈칸에 알맞은 수를 쓰세요.

2 3 1

2와 3 모으기 5

6 5와 1 모으기

앞에서부터
모으기

두에서부터
모으기

3 4 2

6

9

🔷 여러 번 모으기를 했어요. 빈칸에 알맞은 수를 쓰세요.

4 2 1

3

7

가장 먼저 알 수 있는
칸부터 수를 써 봐!

3 1 4

5

8

1 2 3 1

3 4

7

2 5 1 1

7 2

9

2 1 2 4

3 6

9

1 3 1 1

4 2

6

🚙 칸토 쌤 이중 모으기는 수를 여러 번 모으기 하는 활동으로 2일 차에 배우는 세 수의 덧셈을 학습하기 위한 준비 과정이에요. 그림이 복잡해 보이지만 빈칸 중 어떤 칸부터 채워야 하는지 생각해 보며 퍼즐처럼 재미있게 풀도록 도와주세요.

2일 세 수의 덧셈

🔷 모으기를 이용하여 세 수의 덧셈을 하세요.

$3 + 2 + 1 = 6$

5

6

조개를 앞에서부터
주워 볼까?

$1 + 5 + 2 = 8$

6

8

$2 + 3 + 4 = 9$

5

9

$6 + 1 + 1 = 8$

7

8

🔷 세 수의 덧셈을 하세요.

$2 + 1 + 1 = 4$ $2 + 3 + 2 = 7$

$1 + 6 + 2 = 9$ $3 + 3 + 3 = 9$

$1 + 4 + 1 = 6$ $2 + 5 + 1 = 8$

```
   2          1          4
   2          3          1
 + 2        + 1        + 3
 ───        ───        ───
   6          5          8
```

🚙 칸토 쌤 두 수의 덧셈에서 수를 하나 더 늘려 세 수의 덧셈을 해 봅니다. 두 수의 합을 기억한 후 한 번 더 더해야 하므로 아이들이 어려워해요. 두 수의 합을 먼저 종이에 쓴 후 한 번 더 더할 수 있게 도와주세요. 손가락을 이용해도 좋습니다.

$3 + 1 + 2 = \square$

4 4 더하기 2

11

정답

48쪽·49쪽

3일 사다리 타기

구슬이 사다리를 타고 내려가요. 갈림길을 만나면 길을 바꾸어 내려가요. 덧셈을 하여 빈 곳에 알맞은 수를 쓰세요.

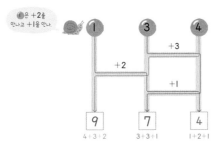

9   7   4
4+3+2 3+3+1 1+2+1

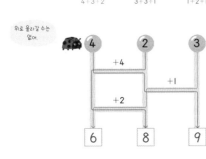

6   8   9

사다리 타기를 하여 덧셈을 하세요.

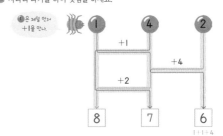

8   7   6
1+1+4

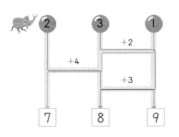

7   8   9

> **칸토 쌤** 사다리 타기로 세 수의 덧셈을 연습하는 활동이에요. 사다리 타기를 처음 해 보는 아이들은 많이 어려워한답니다. 아이들과 같이 연필을 잡고 노래를 부르며 사다리 타기를 해 보세요.

48·4주

49

50쪽·51쪽

4일 □가 있는 세 수의 덧셈

연필의 빈 부분을 색칠하여 □ 안에 알맞은 수를 구하세요.

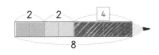

$2+2+\boxed{4}=8$

$1+\boxed{3}+3=7$

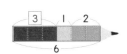

$\boxed{3}+1+2=6$

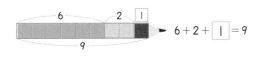

$6+2+\boxed{1}=9$

빈칸에 알맞은 수를 쓰세요.

$2+1+\boxed{2}=5$ $3+\boxed{1}+2=6$

$1+3+\boxed{3}=7$ $\boxed{3}+3+3=9$

$1+\boxed{4}+1=6$ $2+1+\boxed{2}=5$

$$\begin{array}{r} 3 \\ 2 \\ +\boxed{4} \\ \hline 9 \end{array} \qquad \begin{array}{r} 2 \\ \boxed{2} \\ +2 \\ \hline 6 \end{array} \qquad \begin{array}{r} \boxed{2} \\ 4 \\ +1 \\ \hline 7 \end{array}$$

> **칸토 쌤** □가 하나 있는 세 수의 덧셈을 공부해요. 먼저 수 막대를 이용하여 □를 구해 본 후, 수식에서 □를 구합니다. □가 제일 앞에 있거나 중간에 있는 경우 바꾸어 더하기를 이용할 수 있도록 도와주세요. $3+\boxed{}+2=7$ $3+2+\boxed{}=7$

50·4주

51

12

5월 세 수의 합 만들기

🐻 덧셈에 맞게 길을 그리세요.

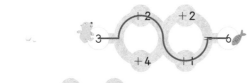

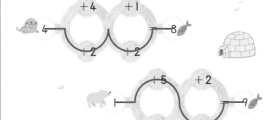

🐻 한 줄에 놓인 세 수의 합이 두더지가 말하는 수가 되도록 묶으세요.

6				8			
1	2	2		2	1	**4**
2	3	1		2	3	**2**
2	3	4		2	1	**2**

9				7			
1	**6**	1		3	4	1
4	**1**	1		1	3	5
3	**2**	5		**4**	**1**	**2**

칸토 쌤 : □가 2개 또는 3개 있는 세 수의 덧셈을 공부해요. 아이가 세 수 가르기를 할 수 있을 정도면 수 감각이 뛰어난 아이입니다. 구체물로 모으기와 가르기의 조작 활동을 충분히 하여 숙달할 수 있게 도와주세요.

확인학습

🦎 모으기를 이용하여 세 수의 덧셈을 하세요.

$5 + 2 + 1 = \boxed{8}$ $3 + 4 + 2 = \boxed{9}$

$\boxed{7}$ $\boxed{7}$

$\boxed{8}$ $\boxed{9}$

🦎 빈칸에 알맞은 수를 쓰세요.

$3 + 1 + \boxed{2} = 6$ $4 + \boxed{3} + 1 = 8$

$2 + 2 + \boxed{5} = 9$ $\boxed{1} + 4 + 2 = 7$

🦎 덧셈에 맞게 길을 그리세요.

※ 43쪽으로 돌아가 4주 차 학습 기준을 달성했는지 체크해 보세요

4주

13

정답

마무리 평가

56쪽·57쪽

마무리 평가 ①회

맞은 개수 　개 (7개)

📕 구슬을 ○로 그려 두 수를 모으기 하세요.

❶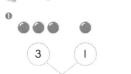

3 　 1

4

○○○○

❷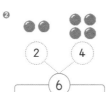

2 　 4

6

○○○○○
○

📕 주먹 안에는 구슬이 몇 개 있었을까요?

❺

3 개

📕 알맞은 식을 찾아 선으로 이으세요.

❸

2+2 　 1+2

❹

4+3 　 3+3

📕 여러 번 모으기를 하여 빈칸에 알맞은 수를 쓰세요.

❻ 3 　 1 　 2

3

6

❼ 1 　 4 　 1 　 3

5 　 4

9

56 마무리 평가

57

58쪽·59쪽

마무리 평가 ②회

맞은 개수 　개 (9개)

📕 두 수를 모으기 하세요.

❶ 2 　 2

4

❷ 5 　 4

9

📕 덧셈을 하세요.

❸

4+1= 5

❹

3+5= 8

📕 양팔저울이 평형이 되도록 빈 곳에 알맞은 추를 찾아 색칠하세요.

❺

2 [2] 　 5

2 　 **3** 　 4

❻ 3 　 9

4 　 5 　 **6**

📕 세 수의 덧셈을 하세요.

❼ 3+2+1= 6

❽ 2+5+2= 9

❾
```
　2
　4
+ 1
───
　7
```

58 마무리 평가

59

14

마무리 평가 ❸회

🐞 구슬을 ○로 그려 가르기 하세요.

❶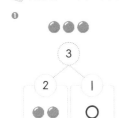

❷

🐞 ○를 그려 □ 안에 알맞은 수를 구하세요.

❺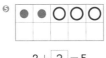

$2 + 3 = 5$

❻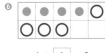

$4 + 4 = 8$

🐞 더하는 수만큼 ○를 색칠하여 덧셈을 하세요.

❸

$4 + 1 = 5$

❹

$5 + 4 = 9$

🐞 사다리 타기를 하여 덧셈을 하세요.

❼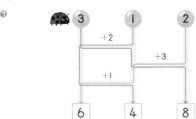

마무리 평가 ❹회

🐞 두 수로 가르기 하세요.

❶ 4 / 3 　 1

❷ 8 / 6 　 2

🐞 빈 곳에 알맞은 수를 쓰세요.

❺

❻

3

🐞 큰 수의 자리를 바꾸어 덧셈을 하세요.

❸ $2 + 4 = 6$
$4 + 2 = 6$

❹ $1 + 8 = 9$
$8 + 1 = 9$

🐞 빈칸에 알맞은 수를 쓰세요.

❼ $1 + 3 + 2 = 6$

❽ $4 + 4 + 1 = 9$

❾
$$\begin{array}{r} 3 \\ 2 \\ + \ 3 \\ \hline 8 \end{array}$$

마무리 평가 ⑤회

64쪽 · 65쪽

 가르기를 하여 빈칸에 알맞은 수를 쓰세요.

❶
```
    7
   / \
  3   [4]
```

❷
```
    8
   / \
  5   3
```

 덧셈을 하세요.

❸ 4+2 = [6]

❹ 5+4 = [9]

❺
```
    2
 +  5
 ───
   [7]
```

 합이 ⌒ 안의 수가 되는 수 카드 2장에 ○표 하세요.

❻
```
      8
  1  (2)  3
    4  (6)
```

❼
```
      9
  3  2  (5)
   (4)  8
```

한 줄에 놓인 세 수의 합이 두더지가 말하는 수가 되도록 묶으세요.

❽ 5
4	1	2
1	2	1
2	2	3

(묶음: 가운데 세로 1, 2, 2)

❾ 9
7	1	2
2	4	2
2	3	4

(묶음: 아래 가로 2, 3, 4)

실력 평가 ➡ 67쪽

실력 평가

칸토의 연산 7세 1권

68쪽

❶ 3+2 = 5

❷ 5+3 = 8

❸ 9+0 = 9

❹ 6+1 = 7

❺ 4+4 = 8

❻ 2+5 = 7

❼ 6+3 = 9

❽ 1+1 = 2

❾ 7+2 = 9

❿ 3+3 = 6

⓫ 2+4 = 6

⓬ 0+2 = 2

⓭ 4+5 = 9

⓮ 1+3 = 4

⓯ 4+2 = 6

⓰ 3+4 = 7

⓱ 5+1 = 6

⓲ 2+2 = 4

⓳ 1+6 = 7

⓴ 5+4 = 9

6쪽

16쪽

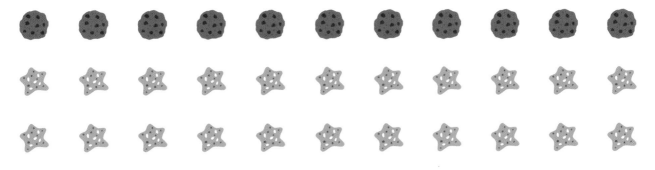

32쪽

34쪽